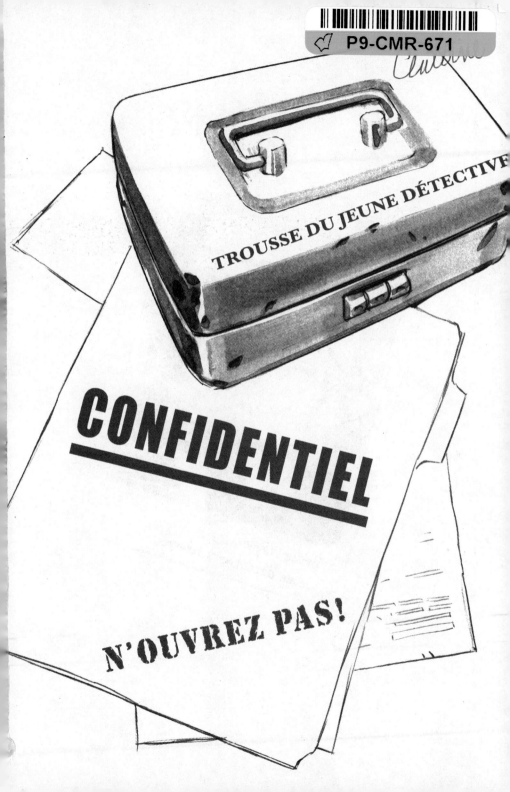

Bruce Wayne
Jeune détective à l'œuvre

DC COMICS

LA SOCIÉTÉ SECRÈTE DES SUPERHÉROS

Texte original de **Derek Fridolfs** | Illustrations de **Dustin Nguyen**

Texte français d'**Isabelle Allard**

SCHOLASTIC

À nos éditeurs : Rex, qui nous a aidés à démarrer, et Michael, qui nous a appuyés jusqu'à la ligne d'arrivée.

À mes enseignants qui, au fil des ans, m'ont encouragé à écrire à l'intérieur et à l'extérieur des marges.
À mes parents, pour leur amour et leur soutien continus.
Et à Pamela, qui accueille toutes mes idées folles avec enthousiasme.
— Derek

Merci à ma mère, Phyllis, et à ma femme, Nicole, qui ont toujours soutenu ma passion pour l'illustration, ou qui, du moins, l'ont supportée.
— Dustin

CATALOGAGE AVANT PUBLICATION DE BIBLIOTHÈQUE ET ARCHIVES CANADA
FRIDOLFS, DEREK
[STUDY HALL OF JUSTICE. FRANÇAIS]

LA SOCIÉTÉ SECRÈTE DES SUPERHÉROS / DANIEL FRIDOLFS ; ILLUSTRATIONS DE DUSTIN NGUYEN ; TEXTE FRANÇAIS D'ISABELLE ALLARD.
(DC COMICS, LA SOCIÉTÉ SECRÈTE DES SUPERHÉROS)
TRADUCTION DE : STUDY HALL OF JUSTICE.
ISBN 978-1-4431-5354-6 (COUVERTURE SOUPLE)
1. ROMANS GRAPHIQUES. I. NGUYEN, DUSTIN, ILLUSTRATEUR
II. TITRE. III. TITRE: STUDY HALL OF JUSTICE. FRANÇAIS
PZ23.7.F75SO 2016   J741.5'973   C2015-908642-6

ÉDITION PUBLIÉE PAR LES ÉDITIONS SCHOLASTIC, 604, RUE KING OUEST, TORONTO (ONTARIO) M5V 1E1

5 4 3 2 1   IMPRIMÉ AU CANADA 139   16 17 18 19 20

CE LIVRE EST UNE ŒUVRE DE FICTION. LES NOMS, PERSONNAGES, LIEUX ET INCIDENTS MENTIONNÉS SONT LE FRUIT DE L'IMAGINATION DE L'AUTEUR OU UTILISÉS À TITRE FICTIF. TOUTE RESSEMBLANCE AVEC DES PERSONNES, VIVANTES OU NON, OU AVEC DES ENTREPRISES, DES ÉVÉNEMENTS OU DES LIEUX RÉELS EST PUREMENT FORTUITE.

CONCEPTION GRAPHIQUE : RICK DEMONICO ET CHEUNG TAI

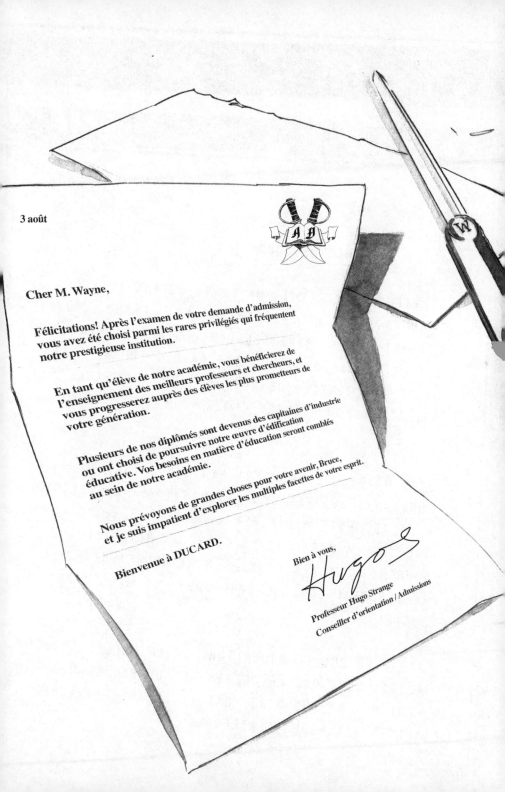

3 août

Cher M. Wayne,

Félicitations! Après l'examen de votre demande d'admission, vous avez été choisi parmi les rares privilégiés qui fréquentent notre prestigieuse institution.

En tant qu'élève de notre académie, vous bénéficierez de l'enseignement des meilleurs professeurs et chercheurs, et vous progresserez auprès des élèves les plus prometteurs de votre génération.

Plusieurs de nos diplômés sont devenus des capitaines d'industrie ou ont choisi de poursuivre notre œuvre d'édification éducative. Vos besoins en matière d'éducation seront comblés au sein de notre académie.

Nous prévoyons de grandes choses pour votre avenir, Bruce, et je suis impatient d'explorer les multiples facettes de votre esprit.

Bienvenue à DUCARD.

Bien à vous,

Hugo

Professeur Hugo Strange
Conseiller d'orientation / Admissions

DATE : 6 AOÛT

NOM D'USAGER : BWAYNE

OBJET : ENTRÉE DE JOURNAL 1

JE VIENS DE RECEVOIR MA LETTRE OFFICIELLE D'ADMISSION À L'ACADÉMIE DUCARD! ALFRED M'AVAIT FAIT ÉCRIRE DES LETTRES À TELLEMENT D'ÉCOLES QUE MA MAIN AVAIT FAILLI TOMBER! MAIS EN FIN DE COMPTE, JE SUIS ACCEPTÉ À L'ÉCOLE QUI ÉTAIT MON PREMIER CHOIX. ALORS, C'EST UN SUCCÈS!

J'AI HÂTE DE COMMENCER! FINIS LES TUTEURS ENNUYANTS QUI VENAIENT AU MANOIR ET LES LEÇONS « D'ÉTIQUETTE » D'ALFRED. LE PLUS BEAU, C'EST QUE JE N'AURAI PLUS DE CORVÉES! MAIS ALFRED A PROMIS QUE MES CORVÉES M'ATTENDRAIENT À MON RETOUR DE L'ÉCOLE CHAQUE JOUR. CE N'EST PAS JUSTE!

J'ESPÈRE QUE LA NOURRITURE DE LA CAFÉTÉRIA EST AUSSI BONNE QUE LA CUISINE D'ALFRED. IL NE FAUT PAS LE LUI DIRE, CAR IL DEMANDERAIT UNE AUGMENTATION DE SALAIRE!

ACADÉMIE DUCARD
JOURNÉE D'ORIENTATION

BIENVENUE AUX NOUVEAUX ÉLÈVES ET AUX CONQUÉRANTS DE DEMAIN!

- Rencontre avec le personnel administratif
- Rencontre avec les enseignants et les élèves
- Visite des installations scolaires (veuillez rester avec votre groupe)
- Distribution de la carte du campus et des horaires de cours
- Préinscription aux activités sportives et parascolaires
- Essayage et livraison de l'uniforme scolaire

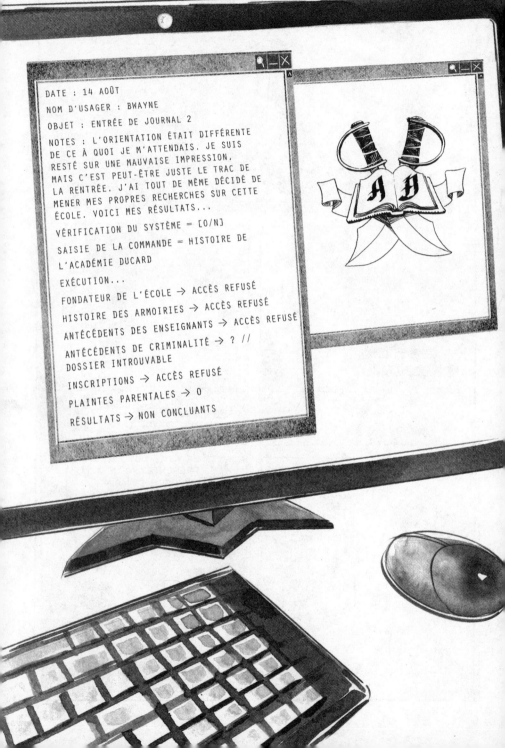

DATE : 14 AOÛT

NOM D'USAGER : BWAYNE

OBJET : ENTRÉE DE JOURNAL 2

NOTES : L'ORIENTATION ÉTAIT DIFFÉRENTE DE CE À QUOI JE M'ATTENDAIS. JE SUIS RESTÉ SUR UNE MAUVAISE IMPRESSION, MAIS C'EST PEUT-ÊTRE JUSTE LE TRAC DE LA RENTRÉE. J'AI TOUT DE MÊME DÉCIDÉ DE MENER MES PROPRES RECHERCHES SUR CETTE ÉCOLE. VOICI MES RÉSULTATS...

VÉRIFICATION DU SYSTÈME = [O/N]

SAISIE DE LA COMMANDE = HISTOIRE DE L'ACADÉMIE DUCARD

EXÉCUTION...

FONDATEUR DE L'ÉCOLE → ACCÈS REFUSÉ

HISTOIRE DES ARMOIRIES → ACCÈS REFUSÉ

ANTÉCÉDENTS DES ENSEIGNANTS → ACCÈS REFUSÉ

ANTÉCÉDENTS DE CRIMINALITÉ → ? // DOSSIER INTROUVABLE

INSCRIPTIONS → ACCÈS REFUSÉ

PLAINTES PARENTALES → 0

RÉSULTATS → NON CONCLUANTS

DIRECTEUR

COMMENT SONT LES NOUVEAUX ÉLÈVES?

LES RECRUES?

« ÉLÈVES »! IL FAUT SAUVER LES APPARENCES!

ILS SONT JEUNES. ENTHOUSIASTES. PEUT-ÊTRE TROP.

IL Y EN A UN... LE PETIT RICHE... TRÈS CURIEUX. IL POURRAIT CAUSER DES PROBLÈMES.

JE VAIS LE GARDER À L'ŒIL. J'AI DÉJÀ COMMENCÉ.

11

CE QU'IL FAUT APPORTER...

- ☐ Lettre officielle d'admission
- ☐ Demande d'admission
- ☐ Carte d'identité avec photo (pas besoin de déclarer les identités secrètes) *Attends... quoi?*
- ☐ Antécédents médicaux
- ☐ Papier et crayon
- ☐ Loyauté absolue *C'est bizarre.*

CE QU'IL NE FAUT PAS APPORTER...

- ☐ Parents
- ☐ Adultes *Apparemment, tu vas rester à la maison, Alfred.*
- ☐ Autorités *Hum...*

CE QUE JE DOIS APPORTER (LISTE D'ACHATS POUR ALFRED)

Lunettes de vision nocturne infrarouge
Combinaison de camouflage militaire avec grappin
Labo portatif pour analyser les microfragments et les empreintes digitales
Ordinateur avec logiciel de reconnaissance faciale
Pouding au chocolat et beurre d'arachide

Je n'achèterai rien de tout ça! Mais je vais vous acheter de nouveaux sous-vêtements.
—Alfred

UN INSTANT, MAÎTRE BRUCE.

RAISON DE PLUS POUR ÊTRE PRÉSENTABLE.

C'EST MA RESPONSABILITÉ, MÊME SI VOUS ÊTES BOUGON.

ALFRED, ARRÊTE! TOUT LE MONDE ME REGARDE.

J'AI PRÉPARÉ VOTRE DÎNER. GRANOLA, TRÈS SANTÉ.

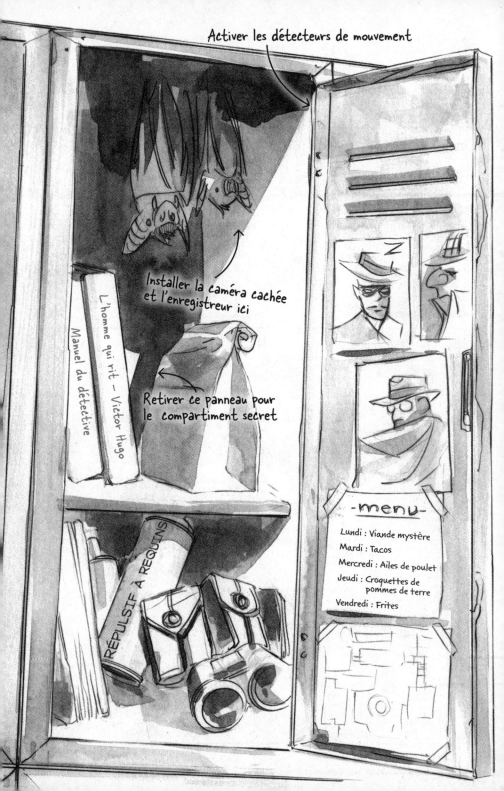

HÉ, JE TE PARLE, LE BINOCLARD!

COMBIEN DE POINGS VOIS-TU? JE VAIS TE MONTRER!

HÉ, LAISSE-LE TRANQUILLE!

OÙ VAS-TU COMME ÇA?

REGARDEZ COMMENT IL EST HABILLÉ!

C'EST NOTRE UNIFORME. TOUT LE MONDE DOIT LE PORTER.

SUR TOI, IL A L'AIR *RIDICULE.*

COMME JE SUIS NOUVEAU, VOUS ALLEZ ME VOLER L'ARGENT DE MON REPAS, C'EST ÇA?

J'AI MIS TROIS HEURES À PRÉPARER CE REPAS. VOUS DEVEZ MANGER.

JE N'AI PAS FAIM.

C'EST NORMAL... C'EST UNE ÉCOLE.

NON, IL Y A QUELQUE CHOSE DE LOUCHE.

J'AI DÉCIDÉ QUE JE N'AIME PAS CETTE ÉCOLE.

C'ÉTAIT VOTRE PREMIÈRE JOURNÉE. VOUS DEVEZ PERSÉVÉRER.

FAITES UN EFFORT. C'EST UN *ORDRE!*

UN ORDRE. COMME UNE MISSION... DE DÉTECTIVE...

UNE AFFAIRE!

DATE : 1ER SEPTEMBRE
NOM D'USAGER : BWAYNE
OBJET : ENTRÉE DE JOURNAL 3

MA PREMIÈRE JOURNÉE D'ÉCOLE NE
CORRESPONDAIT PAS À MES ATTENTES. C'EST
CENSÉ ÊTRE L'ACADÉMIE OFFRANT LA MEILLEURE
ÉDUCATION DE GOTHAM. TOUT CE QUE J'AI
APPRIS, C'EST QU'AUCUNE ÉCOLE N'EST
PARFAITE.

SUIS-JE TROP PESSIMISTE, COMME LE PRÉTEND
ALFRED?

IL PENSE QUE JE SUIS UN PETIT GARÇON
CRAINTIF QUI DOIT APPRENDRE À SUIVRE LES
RÈGLES. MAIS JE DOIS DÉCOUVRIR CE QUI SE
PASSE VRAIMENT À DUCARD.

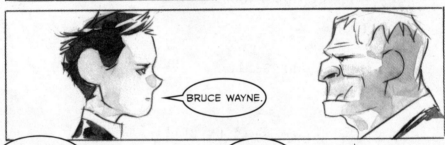

SALUT!

TU PEUX T'ASSEOIR AVEC NOUS.

QU'EST-CE QU'IL A?

LE PERSONNEL ENSEIGNANT

DIRECTEUR

PROFESSEUR HUGO STRANGE
(Conseiller d'orientation/admissions)

Dᴿ THADDEUS B. SIVANA
(Sciences)

M. VANDAL SAVAGE
(Histoire)

M. JERVIS TETCH
(Littérature)

M. BASIL KARLO
(Arts/théâtre)

MME SIOBHAN MCDOUGAL
(Chorale)

ENTRAÎNEUR ZOD
(Éd. physique – garçons)

ENTRAÎNEUSE « KITTY » FAULKNER
(Éd. physique – filles)

M. SOLOMON GRUNDY
(Classe-foyer)

COURS D'HISTOIRE
« HISTOIRE DE L'HUMANITÉ »
ENSEIGNANT : M. VANDAL SAVAGE

DESCRIPTION DU COURS :

Examiner la nature de l'humanité au cours de l'histoire, de l'aube de la civilisation jusqu'à aujourd'hui.

OBJECTIFS DU COURS :

Présenter les origines et le développement de l'être humain à travers les âges. Nos plus grands succès, échecs, inventions, découvertes et impulsions. Étudier des exploits humains dans divers domaines : architecture, sciences, technologie, forces armées et politique. Discuter de ce que nous avons été en tant qu'espèce et de ce que nous deviendrons. Tous ces thèmes et d'autres aussi fourniront matière à des cours magistraux et à des discussions de groupe, et seront évalués par des tests et des examens.

Les dessins provoquent une réaction positive chez l'enseignant qui se fait ridiculiser.
Cela prouve qu'il est utile d'avoir un dossier sur lui

VOUS ALLEZ TOUS ÉTUDIER L'HISTOIRE. MAIS CE CLOWN NE FERA PLUS D'HISTOIRES!

EN RETENUE!

HISTOIRE 101

Tous les grands empires atteignent un apogée de distinction et de réussite avant leur inévitable destruction. Dans certains cas, la destruction est causée par la montée en puissance de leurs ennemis. Parfois, elle découle de leurs propres carences. L'histoire se construit sur l'ascension et la chute de ces empires et de ces civilisations. Mais ce que vous avez pu lire à leur sujet est seulement ce qu'ils ont choisi de vous révéler. Et ce n'était pas la vérité. Peu importent leurs éblouissants succès, ce sont les ombres projetées par leur splendeur qui influencent le cours de l'avenir.

Qu'est-ce que cela signifie pour votre avenir?

Observez les Ombres...

DATE : 4 SEPTEMBRE
NOM D'USAGER : BWAYNE
OBJET : ENTRÉE DE JOURNAL 4

CETTE ÉCOLE EST BIZARRE!

HIER, J'AI SENTI UN ÉLÈVE PASSER SI VITE
QUE JE N'AI VU QU'UNE SILHOUETTE FLOUE.
AUJOURD'HUI, J'AI VU UNE FILLE VOLER DANS
LES AIRS. JE NE BLAGUE PAS. SANS OUBLIER
TOUS LES CLOWNS ET... JE PENSE QUE J'AI
MÊME VU RÔDER UN NINJA.

C'EST INSENSÉ.

MON ESPRIT ET MON CORPS ONT ÉTÉ ENTRAÎNÉS
PAR LES MEILLEURS (ALFRED M'A TROUVÉ DES
TUTEURS PRIVÉS). MES YEUX NE ME JOUENT PAS
DE TOURS. IL DOIT Y AVOIR UNE EXPLICATION
LOGIQUE.

MON ENQUÊTE CONTINUE. MAIS JE DOIS GARDER
DU TEMPS POUR TERMINER LE NIVEAU 7 DE
MILICIEN JUSTICIER TURBO. SANS CÉDER
À L'ENVIE DE TÉLÉCHARGER UN CODE DE TRICHE.

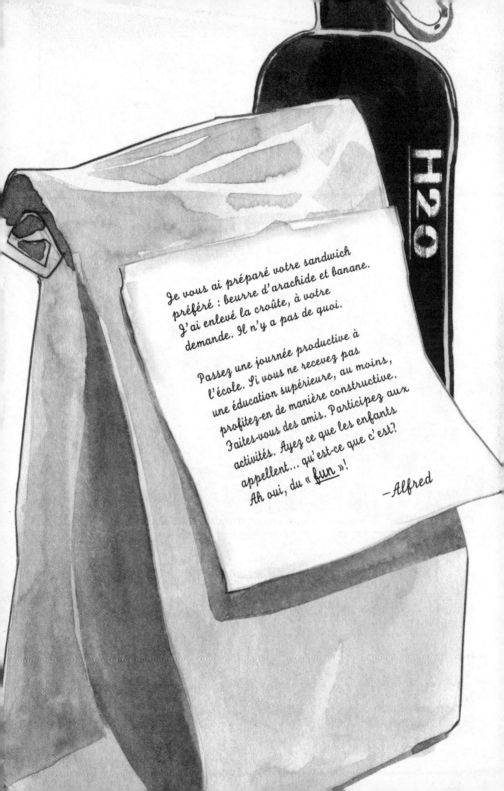

5 SEPTEMBRE...

Q.I. ÉLEVÉS SEULEMENT! SORS D'ICI!

VA-T'EN!

YOU-HOUUU! PAR ICI! VIENS RIRE AVEC NOUS, BRUCIE!

31

DATE : 5 SEPTEMBRE
NOM D'USAGER : BWAYNE
OBJET : ENTRÉE DE JOURNAL 5

IL Y A TOUTES SORTES DE JEUNES ICI. DES
STUDIEUX, DES SPORTIFS, DES MENEUSES DE
CLAQUE, DES CLOWNS. ILS SONT DIFFICILES À
ÉVITER.

J'AI COMMENCÉ À MANGER À LA BIBLIOTHÈQUE
AVEC DES JEUNES COMME MOI. CLARK EST
UN FILS DE FERMIER DE SMALLVILLE. DIANA
EST UNE ÉTUDIANTE D'OUTRE-ATLANTIQUE QUI
PARTICIPE À UN PROGRAMME D'ÉCHANGE. ILS
VIVENT EN RÉSIDENCE ET SONT DANS MA CLASSE-
FOYER.

AU DÉBUT, JE LES TROUVAIS ÉNERVANTS, MAIS
EUX AUSSI ONT DES DOUTES SUR CETTE ÉCOLE.
ILS AVAIENT HÂTE DE VENIR ICI AVANT D'AVOIR
LES MÊMES PROBLÈMES QUE MOI.

JE NE DEVRAIS PEUT-ÊTRE PAS ENQUÊTER TOUT
SEUL. ON POURRAIT LE FAIRE ENSEMBLE. C'EST
UNE POSSIBILITÉ À ENVISAGER.

8 SEPTEMBRE – NOTES D'OBSERVATION

C'est le début de ma deuxième semaine à DUCARD et mon expérience ne s'améliore pas.

Le cours de théâtre de ce matin avec M. Basil Karlo était étrange. Les murs de son local sont couverts de vieilles affiches de films dans lesquels il a joué. Le personnage d'« enseignant » doit être son rôle du moment. En effet, il a volé le sac à dos de l'élève qui se trouvait devant lui! Ça faisait partie du cours! Il nous a dit d'agir comme la personne qu'on veut devenir et de prendre ce qui nous plaît. Quelle sorte de cours est-ce donc?

PRINCE DU DÉSERT

SAM DURAN

De plus, je pense qu'il transpirait de la terre glaise. VRAIMENT! J'ai pris un échantillon de cette substance argileuse et je ferai des tests plus tard. Cette école... ce monde... est plus vaste et bizarre que je croyais.

ANNONCES DE L'ACADÉMIE

* Sports masculins
Beaucoup de douleur, un peu d'honneurs!
Voir l'entraîneur Zod pour s'inscrire.

* Auditions des meneuses de claque
Vendredi 10 octobre à 15 h, dans le gymnase
des filles.

* Devenez membre du Club des ornithologues amateurs!
S'adresser au président du club,
Oswald Cobblepot.

Alors, tu es
un crétin!
Hi, hi!

* Besoin d'un tuteur?
Inspiré par la domination mondiale?
Génies malfaisants recherchés.

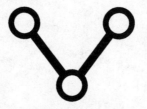

JOURNAL DE DIANA
10 SEPTEMBRE

Depuis que cet ordi bizarre nous a parlé dans la bibliothèque, je suis nerveuse. Bruce a raison! Il se passe des trucs étranges ici. C'est dommage. Cette école semblait tellement géniale dans sa lettre d'invitation. J'avais hâte d'arriver, et maintenant, je suis juste fâchée. J'ai cassé six crayons en écrivant ceci.

Par exemple, je sors du cours de littérature, et j'ai remarqué d'autres détails curieux. Notre enseignant, M. Tetch, nous oblige à ne lire qu'un seul livre : Alice au pays des merveilles. C'est un bon livre. Mais c'est le seul qu'on va lire? Et ce n'est pas tout. Le prof a un lapin qui se promène partout dans la classe. De plus, il appelle toutes les filles Alice (MÊME MOI). Et il s'habille comme le Chapelier fou.

Il me donne froid dans le dos!

RAPPORT D'INCIDENT DE L'INFIRMIÈRE

ÉLÈVE : Clark Kent

ENSEIGNANT : Mme Siobhan McDougal

COURS : Chorale

DATE: 10 septembre

DESCRIPTION DE L'INCIDENT :

Le cours de chorale d'aujourd'hui était très bruyant. Incapable de contrôler ses élèves, Mme McDougal s'est mise à crier. Le volume de sa voix était si élevé que les vitres ont éclaté et que les oreilles de nombreux élèves bourdonnaient.

MESURES PRISES :

Les élèves ont reçu du coton et de la gaze pour prévenir l'enflure et protéger leur audition. Ceux qui se sentaient étourdis ont été renvoyés chez eux.

AUTRES MESURES RECOMMANDÉES :

Aucune. Clark est l'un des rares n'ayant pas été affectés. Il semble avoir une ouïe et une résistance extraordinaires. Aucune autre mesure n'est recommandée.

REMARQUES :

Il possède une force remarquable pour son âge. Il est peut-être extraordinaire sous d'autres aspects.

SI VOUS AVEZ DES QUESTIONS CONCERNANT CET INCIDENT, VEUILLEZ COMMUNIQUER AVEC L'INFIRMERIE.

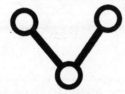

EN RAISON DU VIRUS KANDOR

LA BIBLIOTHÈQUE DE L'ÉCOLE SERA
FERMÉE LE VENDREDI 12 SEPTEMBRE POUR
LA MAINTENANCE INFORMATIQUE, UNE
RECONFIGURATION DU RÉSEAU ET LA
RÉCUPÉRATION DE DONNÉES PERDUES.

BRAINIAC EST DÉSOLÉ DE CET
INCONVÉNIENT ET PROMET DE SE VENGER.

GROUPE DE DISCUSSION

 bruce, clark, où êtes-vous ?

 je suis en retard, commencez sans moi.

 impossible, la bibliothèque est fermée.

je sais, c'est super, hein?

 ?

j'ai mis BRAINIAC en mode veille, mais la porte se verrouille au moyen d'un algorithme alternatif. Trop risqué d'entrer par effraction.

 PAR EFFRACTION!?

du calme, CK. bruce, de quoi voulais-tu parler?

l'école a enquêté sur nous...
À FOND! recherche de données invasives, accès à des documents privés, balayage par satellite et même écoute électronique.
je ne sais pas pourquoi.

un peu parano, non? quelle preuve as-tu?

krypton, themyscira... BRAINIAC avait ces mots-clés dans des fichiers vous concernant. mais j'ai nettoyé le système.

qu'est-ce qu'un krypton? ce n'est pas moi. je ne sais pas comment, je le jure. je ne viens même pas de ce truc-machin

 CK, respire par le nez. bruce, et toi?

ENVOYER

peu importe, je me fiche de vos secrets.
je veux seulement savoir pourquoi ils
s'intéressent à nous. que vous faut-il de plus?

rien, j'embarque.

moi aussi.

bien. ceci est une invitation officielle à venir
chez moi cette fin de semaine. on discutera
de tous les détails de la prochaine étape. en
attendant, j'ai préparé des documents à lire et
à étudier. je les ai mis dans vos casiers.

je ne t'ai jamais donné ma combinaison.

CK

quoi?

c'est bruce. je suis sûre qu'il connaît
la combinaison de tout le monde.

même celles des profs.

BRUCE!!!

on parlera de tout ça
chez moi.

la salle des profs est INTERDITE!

c'était une blague.

pourquoi je ne te crois pas?

j'espère que vous aurez faim. alfred
aime cuisiner, c'est son travail.

ENVOYER

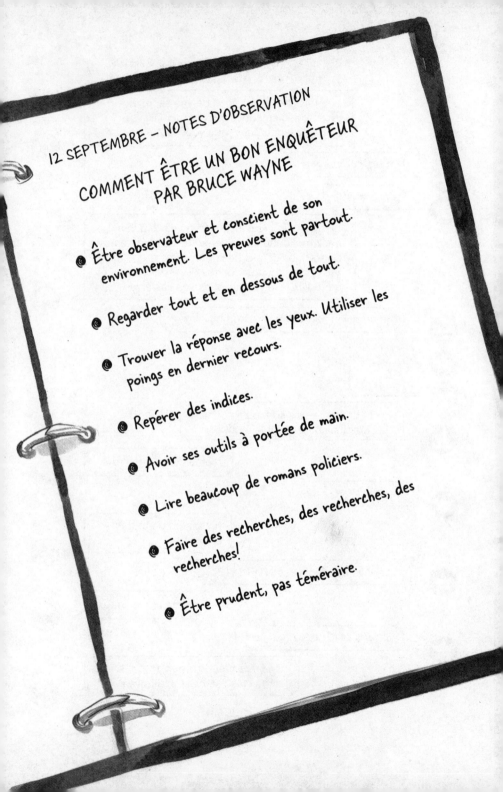

12 SEPTEMBRE – NOTES D'OBSERVATION

COMMENT ÊTRE UN BON ENQUÊTEUR
PAR BRUCE WAYNE

- Être observateur et conscient de son environnement. Les preuves sont partout.

- Regarder tout et en dessous de tout.

- Trouver la réponse avec les yeux. Utiliser les poings en dernier recours.

- Repérer des indices.

- Avoir ses outils à portée de main.

- Lire beaucoup de romans policiers.

- Faire des recherches, des recherches, des recherches!

- Être prudent, pas téméraire.

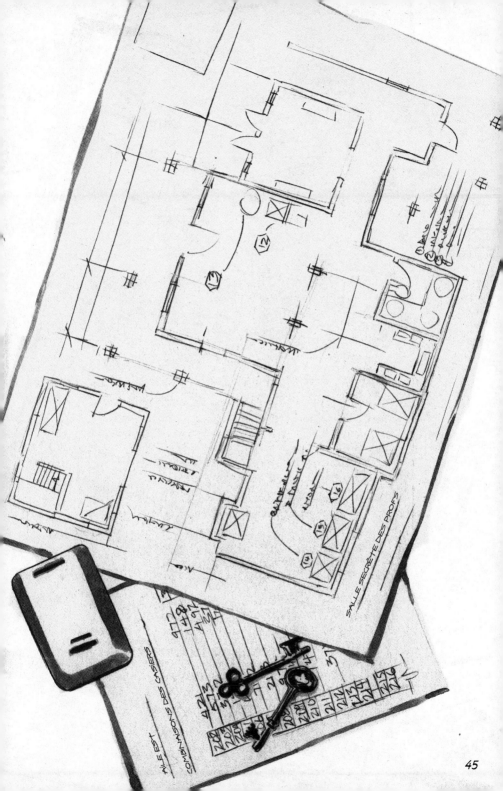

SALLE SECRÈTE DES PROFS

AILE EST

COMBINAISONS DES CASIERS

45

C'EST SI AMUSANT. D'HABITUDE, JE ME DÉPLACE EN VOLANT.

HÉ, MOI AUSSI!

BONJOUR! VOICI MA MAISON.

DISONS PLUTÔT UN MANOIR.

C'EST CHEZ MOI.

TU DOIS AIMER LES CHAUVES-SOURIS. IL Y A UNE CAVE SOUS TA MAISON.

JE NE VOIS PAS À TRAVERS LES MURS! J'AI DIT ÇA AU HASARD.

COMMENT LE SAIS-TU?

30 SEPTEMBRE – NOTES D'OBSERVATION

1ʳᵉ MISSION – INFILTRATION

Notre priorité est d'infiltrer différents secteurs de l'école, puis de partager nos découvertes.

BRUCE : Je vais essayer de me « faire des amis » pour obtenir de l'information.

CLARK : Tu es chargé de devenir « surveillant de couloir ». Cela te permettra d'observer toute activité suspecte sans attirer l'attention.

DIANA : Tu dois devenir membre de l'équipe des meneuses de claque. Cela nous procurera d'autres indices.

Retrouvons-nous à la bibliothèque après l'école chaque jour pour faire notre rapport.

CAFÉTÉRIA – ÉCRAN 02

12:51:05

BIBLIOTHÈQUE – ÉCRAN 03

14:25:16

CAFÉTÉRIA – ÉCRAN 04

12:36:19

DATE : 1ᴱᴿ OCTOBRE
NOM D'USAGER : BWAYNE
OBJET : ENTRÉE DE JOURNAL 6

J'AI ESSAYÉ DE ME FAIRE DES AMIS AUJOURD'HUI. ÇA NE S'EST PAS
BIEN PASSÉ.

J'AI EU RECOURS À UN DÉGUISEMENT POUR NE PAS ÊTRE RECONNU.
J'AI CRÉÉ << MATCHES MALONE >>, UN GARS PROVENANT D'UN
QUARTIER DÉFAVORISÉ, GRÂCE À UN COSTUME ET DU MAQUILLAGE
TROUVÉS DANS LE LOCAL DE THÉÂTRE. MAIS MON IDENTITÉ A ÉTÉ
DÉVOILÉE QUAND LE PROF DE THÉÂTRE L'A ANNONCÉ À TOUTE L'ÉCOLE.
LES PROFS NE VALENT PAS MIEUX QUE LES ÉLÈVES!

LES SPORTIFS M'ONT UTILISÉ COMME CIBLE POUR S'EXERCER. J'AI
REÇU TOUS LES BALLONS DU GYM DANS LA FIGURE. PIRE ENCORE, ILS
M'ONT JETÉ DANS LES ORDURES. BANE A MÊME ESSAYÉ DE ME FAIRE
UNE PRISE DE LUTTE, MAIS J'AI RÉUSSI À LUI ÉCHAPPER.

LES BOLLÉS ONT DÉCIDÉ QUE JE N'ÉTAIS PAS ASSEZ INTELLIGENT
POUR EUX. ILS M'ONT MONTRÉ TOUS MES BULLETINS ET NOTES
D'EXAMENS EN SE PAYANT MA TÊTE. COMMENT ONT-ILS TROUVÉ ÇA?
MAIS TOUT LE MONDE SAIT QUE JE SUIS UN GÉNIE. C'EST UN FAIT.

LES CLOWNS ÉTAIENT LES SEULS À ME DONNER UNE CHANCE, MAIS
J'ÉTAIS LE DINDON DE LA FARCE. LA BATAILLE DE BOUFFE QU'ILS
M'ONT INVITÉ À DÉCLENCHER S'EST RETOURNÉE CONTRE MOI, ET TOUTE
L'ÉCOLE A PARTICIPÉ... MÊME LA DAME DE LA CAFÉTÉRIA. JE SENS
ENCORE LES FRITES.

SE FAIRE REJETER AINSI EST DÉPRIMANT, MAIS JE NE DOIS PAS
PRENDRE ÇA TROP À CŒUR. JE NE VEUX PAS VRAIMENT D'EUX COMME
AMIS. C'EST SEULEMENT POUR AVOIR DE L'INFORMATION.

COULOIR — ÉCRAN 01

10:06:23

FONTAINE — ÉCRAN 02

10:07:14

COULOIR — ÉCRAN 03

10:11:44

COULOIR — ÉCRAN 03

10:15:06

COULOIR — ÉCRAN 03

10:15:08

COULOIR — ÉCRAN 03
10:15:11

PLANCHER — ÉCRAN 01
10:15:15

COULOIR — ÉCRAN 02
SURVEILLANT
10:15:48

BUREAU — ÉCRAN 01
10:16:34

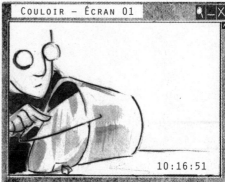

COULOIR — ÉCRAN 01
10:16:51

SURVEILLANT DE COULOIR – RAPPORT D'INCIDENT

ÉLÈVE : JOE KERR

DATE : 7 OCTOBRE

LIEU : TOILETTES DES GARÇONS/COULOIR

INCIDENT :

Le sujet a été aperçu en train de jouer un tour à un

élève avec un seau d'eau. Il a été arrêté juste à temps.

NOTES SUPPLÉMENTAIRES :

Cet élève et ses amis ont été surpris plusieurs fois

sans laissez-passer, en train de rôder et de commettre

divers gestes délinquants.

SURVEILLANT : CLARK KENT

Ce rapport n'a jamais obtenu de réponse.
Je l'ai sorti de la poubelle du bureau pour
le garder dans mes propres dossiers.
—B

VOUS M'AVEZ APPELÉ?

EN EFFET.

J'AI OBSERVÉ LES ÉCRANS DE SURVEILLANCE ET LU LES RAPPORTS. LA PLUPART DES CANDIDATS S'ADAPTENT BIEN, SAUF QUELQUES-UNS.

ÉVALUEZ-LES... SÉPARÉMENT. ENTREZ DANS LEUR TÊTE. DÉCOUVREZ-EN PLUS SUR EUX.

J'ATTENDS VOS RAPPORTS BIENTÔT.

À VOS ORDRES.

ACADÉMIE DUCARD
AUDITIONS DES MENEUSES DE CLAQUE

Encouragez votre équipe à se battre!

POUSSEZ VOTRE CRI DE GUERRE!

SURPASSEZ VOS ENNEMIS!

Dansez pour célébrer leur défaite!

VENDREDI 10 OCTOBRE, 15 H
Terrain derrière le gymnase des filles

OSWALD T'A PASSÉ UN MOT EN CLASSE, CIRCE?

C'EST UN DRÔLE DE MOINEAU.

HEU... EXCUSEZ-MOI?

OUI, *EXCUSE-TOI!*

JE SUIS ICI POUR LES AUDITIONS.

BON. MONTRE-NOUS ÇA.

ON A LA VÉRITÉ!
ON A LA FIERTÉ!
ON A LA JUSTICE DE NOTRE CÔTÉ!
ON NE SE FERA PAS ÉCRASER.
FUYEZ, MÉCHANTS, ON VA VOUS TROUVER!

1-2-3 PAIX, AMOUR, PAS DE COMBATS...

JE SUIS DÉÇU QUE NOS PREMIÈRES MISSIONS
AIENT ÉTÉ DÉSASTREUSES.

EN TANT QUE SURVEILLANT DE COULOIR, CLARK
A PASSÉ PLUS DE TEMPS À ÉCRIRE DES RAPPORTS
QU'À TROUVER DES INFORMATIONS. JE LUI
AI DIT D'ENTRER AU JOURNAL ÉTUDIANT À LA
PLACE. AINSI, IL POURRA ÉCRIRE AUTANT QU'IL
VEUT ET EXPOSER DES DÉTAILS LOUCHES.

DIANA N'A PAS RÉUSSI À CONVAINCRE LES
MENEUSES DE CLAQUE. ELLES L'ONT PERÇUE
COMME UNE MARGINALE... À CÔTÉ DE LA PLAQUE.

JE LUI AI SUGGÉRÉ UNE MISSION DE
DIPLOMATIE. ELLE A GROGNÉ EN DISANT
QU'ELLE PRÉFÉRAIT L'ATHLÉTISME. FRAPPER
MON CASIER A ÉTÉ SA FAÇON DE TERMINER NOTRE
CONVERSATION DE FAÇON DIPLOMATIQUE.

JE VAIS ESSAYER DE TROUVER D'AUTRES FAÇONS D'ENQUÊTER. MAIS D'ABORD, J'AI UNE RÉUNION D'ÉVALUATION OBLIGATOIRE AVEC LE CONSEILLER D'ORIENTATION. ÇA PEUT ÊTRE UTILE, PUISQUE LE PROFESSEUR HUGO STRANGE ÉVALUE TOUS LES ÉLÈVES DE DUCARD.

RAPPORT D'ÉVALUATION DE L'ÉLÈVE

ÉLÈVE : __Bruce Wayne__   ENSEIGNANT : __Hugo Strange__

Quel adjectif te décrit le mieux?
Choisis-en un seul :

❑ affamé	❑ créatif	❑ excité	❑ heureux	❑ soulagé
❑ aimé	❑ désintéressé	❑ fâché	❑ patient	❑ surpris
❑ ambitieux	❑ effrayé	❑ fatigué	❑ perplexe	❑ triste
❑ calme	❑ embarrassé	❑ fier	❑ solitaire	❑ autre
☒ concentré				

Évalue ces différents aspects de ta vie :

Amitiés
Horrible   Génial
1   2   3   4   (5)   6   7   8   9   10

Maison/famille
Horrible   Génial
1   2   3   4   (5)   6   7   8   9   10

Notes/école
Horrible   Génial
1   2   3   4   (5)   6   7   8   9   10

Diagnostic :

Selon mon évaluation, Bruce mène une vie très discrète. Peu enclin à se confier ou à révéler ses pensées. Il a répondu aux questions avec prudence et précision, sans hésiter. Alors que la plupart des élèves ont du mal à trouver leur voie, Bruce semble savoir ce qu'il veut. Cela peut être dangereux.

Notes additionnelles :

Je ne sais pas si Bruce est un candidat valable pour Nanda Parbat. Je vais continuer de le surveiller avant de prendre une décision finale.

J'ai pu m'infiltrer en douce et copier ce document pour mes dossiers. Ce qui suit est une séquence de caméra de surveillance avant que je l'efface du système.
Qu'est-ce que « Nanda Parbat »? Je dois enquêter sur ce nom.

—B

15:24:02

15:34:18

15:52:32

15:53:42

15:54:24

15:56:32

LE QUOTIDIEN DE DUCARD

13 OCTOBRE

ÉQUIPE DU JOURNAL

VICTOR FRIES/MÉTÉO

« M. Freeze » annonce la
prochaine vague de froid.

CIRCE/HOROSCOPE

Fournit votre dose
d'horreur hebdomadaire.

PAMELA ISLEY/
REPORTER ENVIRONNEMENTALE

La nature est notre nourriture.

BONJOUR, JE M'APPELLE CLARK KENT. J'AIMERAIS ÊTRE REPORTER POUR LE JOURNAL SCOLAIRE.

TU ES PAMELA ISLEY.

APPELLE-MOI L'EMPOISONNEUSE.

HEU... JE PRÉFÈRE PAM. TU ÉCRIS SUR L'ENVIRONNEMENT. C'EST BIEN.

JE ME PRÉSENTE. CLARK.

« FREEZE ». VICTOR FRIES. JE M'OCCUPE DE LA MÉTÉO.

QUEL SANG-FROID!

UNE BLAGUE. JE RIRAIS... MAIS JE M'EN FICHE.

JE SUIS CIRCE. JE SIGNE L'HOROSCOPE. QUEL EST TON SIGNE?

JE NE SUIS PAS CERTAIN...

LE QUOTIDIEN DE DUCARD

15 OCTOBRE

BULLETIN MÉTÉO

Victor Fries / Météorologue

Nuageux 0 °C

Vent : 30 km/h

Possibilité de neige : Très probable

Prévisions pour les 5 prochains jours : Pluie, verglas, neige, neige, neige

LES PLANTES SONT MIEUX QUE LES GENS

Pamela Isley /
Reporter environnementale
voir page 4

HORREUR-SCOPE

par **Circe**

Jours nuageux à l'horizon... réjouissez-vous!

Le but est à votre portée! Mettez vos idées en application. N'attendez pas que la tempête passe... SOYEZ la tempête! Profitez de l'instant présent.

Si quelqu'un vous en empêche, dites-lui que vous faites ce que vous voulez.

PLUS HAUT, PLUS LOIN!
par **Clark Kent** / Reporter

En tant que nouveau journaliste, je tiens à me présenter. J'ai grandi à Smallville et appris de nombreuses leçons qui... (la suite en page Z17)

BUREAU DU DIRECTEUR...

LE DIRECTEUR EST-IL LÀ?

QUI ES-TU?

CLARK KENT, LE NOUVEAU REPORTER.

VOUS ME CONNAISSEZ PEUT-ÊTRE. MON ARTICLE ÉTAIT À LA TOUTE DERNIÈRE PAGE.

NON.

LE DIRECTEUR RENCONTRE SEULEMENT CEUX QUI EN SONT DIGNES. PAS DE MÉDIAS!

TU N'ENTRERAS DANS SON BUREAU QUE SI TU AS UN RENDEZ-VOUS OU SI TU ES LE PRÉSIDENT DE LA CLASSE. SINON... DÉGUERPIS!

HUM... PRÉSIDENT DE LA CLASSE!

67

PROGRAMME SPORTIF
DES FILLES

Forme physique et obéissance par
L'ENTRAÎNEUSE « KITTY » FAULKNER

**CE QU'IL FAUT FAIRE ET NE PAS FAIRE
POUR PULVÉRISER L'ADVERSAIRE :**

- **IL FAUT** combattre
- **IL FAUT** tricher
- **IL FAUT** voler

- **IL NE FAUT PAS** respecter les règles
- **IL NE FAUT PAS** avoir l'esprit d'équipe

PUNISSEZ OU VOUS SEREZ PUNIES!

RAPPORT D'ÉVALUATION DE L'ÉLÈVE

ÉLÈVE : Diana Prince   **ENSEIGNANT :** Hugo Strange

Quel adjectif te décrit le mieux?
Choisis-en un seul :

❏ affamé	❏ créatif	❏ excité	❏ heureux	❏ soulagé
❏ aimé	❏ désintéressé	☒ fâché	❏ patient	❏ surpris
❏ ambitieux	❏ effrayé	❏ fatigué	❏ perplexe	❏ triste
❏ calme	❏ embarrassé	❏ fier	❏ solitaire	❏ autre
❏ concentré				

Évalue ces différents aspects de ta vie :

Amitiés
Horrible   Génial
1   2   ③   4   5   6   7   8   9   10

Maison/famille
Horrible   Génial
1   2   3   4   5   6   ⑦   8   9   10

Notes/école
Horrible   Génial
1   2   3   ④   5   6   7   8   9   10

Diagnostic :

En tant qu'étudiante participant à un programme d'échange à l'étranger, Diana a du mal à s'adapter. C'est peut-être à cause de son enfance protégée ou de ses origines royales. Elle exige beaucoup d'elle-même et n'y parvient pas. Ses faiblesses sont sa noblesse et son équité inébranlables. Sa force est sa colère impétueuse que nous pouvons exploiter.

Notes additionnelles :

C'est une candidate intéressante pour Nanda Parbat, mais il faudra la pousser davantage pour en avoir la certitude.

Encore ce nom, « Nanda Parbat ». Ce n'est sûrement pas une coïncidence. Trouver sa signification est une priorité!

—B

DATE : 20 OCTOBRE
NOM D'USAGER : BWAYNE
OBJET : ENTRÉE DE JOURNAL 8

NOS DEUXIÈMES MISSIONS N'ÉTAIENT PAS PLUS RÉUSSIES.

CLARK EST ENTRÉ AU JOURNAL, MAIS TOUT CE QU'IL ÉCRIT SE
RETROUVE À LA DERNIÈRE PAGE OU N'EST MÊME PAS PUBLIÉ. LES
ÉLÈVES N'ÉCRIVENT QUE DES TRUCS MÉCHANTS OU BIZARRES. CLARK
EST TROP GENTIL POUR VOIR QU'IL PERD SON TEMPS.

IL VEUT SE PRÉSENTER COMME PRÉSIDENT DE CLASSE. PAS UNE
MAUVAISE IDÉE. CELA LUI DONNERA ACCÈS AU BUREAU DU DIRECTEUR
S'IL GAGNE.

DIANA A RATÉ LES ÉPREUVES DE SÉLECTION DE L'ÉQUIPE
D'ATHLÉTISME. ELLE ÉTAIT SI FÂCHÉE QUE JE L'ENTENDAIS CRIER
À L'AUTRE BOUT DU CAMPUS. J'ADMIRE SA DÉTERMINATION, MAIS
PAS SON TEMPÉRAMENT COLÉRIQUE.

J'AI DÉCIDÉ QU'ELLE SERA LA DIRECTRICE DE CAMPAGNE DE CLARK.
AINSI, ELLE SE CONCENTRERA SUR L'ÉLECTION DE NOTRE JEUNE
FERMIER.

J'ENQUÊTE TOUJOURS SUR L'EXPRESSION « NANDA PARBAT ».
JUSQU'ICI, JE SUIS BREDOUILLE. MAIS C'EST LE SEUL INDICE
DONT JE DISPOSE.

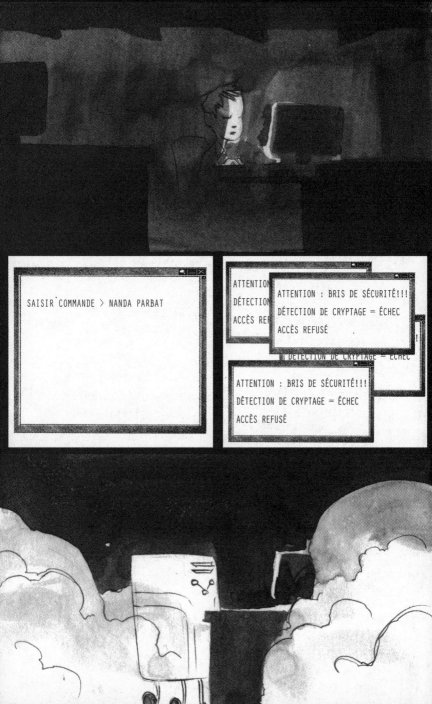

LE QUOTIDIEN DE DUCARD

30 OCTOBRE

Attention, fantômes et lutins : c'est l'Halloween demain!

Enlevez votre uniforme et déguisez-vous. Moquez-vous, effrayez et faites des mauvais coups...
C'est l'occasion de faire tout ce que vous voulez!

N'écrasez pas de citrouilles ou vous aurez affaire à moi!

— **Pamela Isley**/Reporter environnementale

MESSAGES

GROUPE DE DISCUSSION

clark, diana, il faut qu'on se parle.

à quelle heure demain?

non, maintenant. il y a du danger, on est peut-être démasqués.

qu'as-tu encore fait?:/

je crois que j'ai déclenché des alarmes.

comment?

en essayant d'accéder à de l'information sur les ordis de l'école. une erreur stupide.

ce n'est pas ton genre.

... je pense que je suis suivi. et vous aussi.

ENVOYER

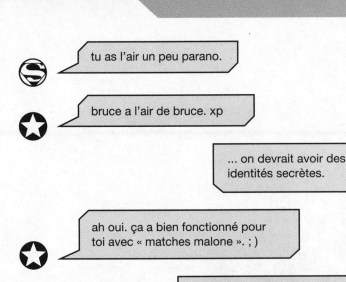

tu as l'air un peu parano.

bruce a l'air de bruce. xp

... on devrait avoir des identités secrètes.

ah oui. ça a bien fonctionné pour toi avec « matches malone ». ;)

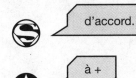

... vous n'avez qu'à vous déguiser et porter un masque pour l'Halloween demain.

faites-le.

d'accord.

à +

VOULAIT-IL DIRE AUJOURD'HUI?

IL VA VENIR.

HA, HA, HA, HA!

QUI ES-TU CENSÉ ÊTRE?

BATMAN.

BAT... QUI?

C'EST CENSÉ INSPIRER LA PEUR. COMME LES CHAUVES-SOURIS.

BON! ET VOUS? EN QUOI ÊTES-VOUS DÉGUISÉS?

QUE VEUT DIRE LE « S »?

OH, C'EST MA PLANÈTE NATALE... JE VEUX DIRE, VILLE NATALE. « S » VEUT DIRE SMALLVILLE.

SUPER!

TU AS LA MÊME TÊTE, MÊME SANS LES LUNETTES. ET LE MASQUE?

JE SUIS UNE GUERRIÈRE AMAZONE!

TU ES MAGNIFIQUE.

TU NE PORTES PAS DE MASQUE NON PLUS?

GRRRR....

LAS D'ŒUVRER SEUL POUR
CONQUÉRIR LE MONDE?

TU CHERCHES L'INJUSTICE
DANS UNE SOCIÉTÉ JUSTE?

RASSEMBLONS-NOUS ET
TROUVONS UNE SOLUTION!

[RÉUNION APRÈS L'ÉCOLE DANS LA
BIBLIOTHÈQUE POUR METTRE NOS
FORCES MENTALES EN COMMUN.]

VOILÀ CE QUI CIRCULE SUR LE CAMPUS.

C'EST INQUIÉTANT...

BELLE JOURNÉE POUR FAIRE LE MAL!

ET ÇA AUSSI.

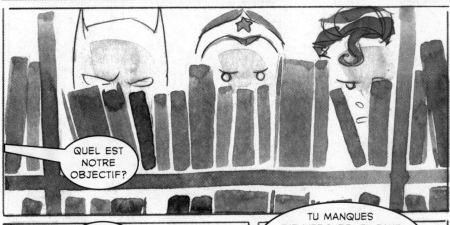

QUEL EST NOTRE OBJECTIF?

CRÉER LE CHAOS, BIEN SÛR!

J'AI COMMENCÉ PAR VOLER TOUS LES BONBONS, HI, HI!

TU MANQUES D'ENVERGURE. IL FAUT ÉTENDRE NOTRE OPÉRATION À L'EXTÉRIEUR DE L'ÉCOLE. VOLER DU MATÉRIEL SCIENTIFIQUE.

OU DES OBJETS ANCIENS.

CAMBRIOLER DES BANQUES!

TOUT CE À QUOI NOUS PRÉPARE DUCARD!

BAM!

ON A TOUT ENTENDU. PAS À CAUSE DE NOTRE SUPER-OUÏE. JUSTE PARCE QU'ON ÉTAIT À CÔTÉ ET...

LA FERME ET BATS-TOI!

C'EST ÇA!

LA BIBLIOTHÈQUE EST FERMÉE.

PARTEZ.

BONK!

SURVEILLE BIEN CES TROIS-LÀ.

CONFIRMÉ.

DATE : 1ER NOVEMBRE

NOM D'USAGER : BWAYNE

OBJET : ENTRÉE DE JOURNAL 9

J'AI DÉCOUVERT BIEN DES CHOSES À L'HALLOWEEN.

LES ÉLÈVES AIMENT SE DÉGUISER. PAS À CAUSE DE
LA FÊTE, MAIS POUR FAIRE DU CHAHUT. ILS ONT
MONTRÉ LEUR VRAIE NATURE.

LES COSTUMES DE MES AMIS ONT BESOIN
D'AMÉLIORATION. IL LEUR FAUT DES MASQUES!
SINON, ON LES RECONNAÎTRA. AU MOINS, ILS
JOUENT LE JEU.

QUI EST CLARK KENT, AU FOND? IL EST PLUS
QU'UN FILS DE FERMIER. MAIS IL EST TROP BON
POUR MENTIR. QUE CACHE-T-IL?

DIANA A UN SECRET, ELLE AUSSI. ELLE EST PLUS
FORTE QUE TOUT LE MONDE. ET AVEC SON DIADÈME
ELLE A UN AIR ROYAL. DE QUELLE ÎLE VIENT-
ELLE?

COMMENT TROUVERAI-JE LE TEMPS D'ENQUÊTER SUR
L'ÉCOLE *ET* SUR MES AMIS?

87

ÉLISEZ
LEX

COMME
PRÉSIDENT
DE CLASSE

CLARK KENT
CONTRE
LEX LUTHOR
DÉBAT PRÉSIDENTIEL DEMAIN!

BULLETIN MÉTÉO

Victor Fries / Météorologue

Nuageux -2°

Vents : 15 km/h

Prévisions pour les 5 prochains jours : Glacial

HORREUR-SCOPE

par **Circe**

L'avenir est lumineux... Changez cela. N'écoutez pas les autres. Votre vote est tout ce qui compte. Soyez votre propre chef. Rappelez-vous, c'est ce qui est à l'extérieur qui compte!

VOTEZ AVEC VOTRE VOIX AU LIEU D'UN BULLETIN DE VOTE. SAUVEZ UN ARBRE!!!!!

— **Pamela Isley** / Reporter environnementale

BZZZZ!

. . .

CLARK, COMMENT AS-TU FAIT ÇA?!

JE... JE NE SAIS PAS.

ABSTIENS-TOI DURANT LE DÉBAT.

DATE : 4 NOVEMBRE
NOM D'USAGER : BWAYNE
OBJET : ENTRÉE DE JOURNAL 10

CLARK A DU MAL À SE PRÉSENTER COMME LE
MEILLEUR CHOIX POUR LA PRÉSIDENCE.
IL N'EN FAUT PAS BEAUCOUP POUR LE
CONTRARIER. MAIS SA RÉACTION M'A ÉTONNÉ.

UN REGARD LASER? ÇA RENFORCE MES SOUPÇONS
QUE CLARK N'EST PAS QUI IL SEMBLE ÊTRE.

AU MOINS, IL EST DANS NOTRE CAMP. SINON, JE
DEVRAIS DÉCOUVRIR SA FAIBLESSE. LA MIENNE,
C'EST MON PENCHANT POUR LES BISCUITS AUX
PÉPITES DE CHOCOLAT. (ALFRED, SI TU LIS
CECI... PROFITE DE MA FAIBLESSE!)

DISCOURS - AIDE-MÉMOIRE

Dire la vérité.

Ne pas hésiter à esquiver les questions.

Expliquer ce que tu représentes.

Dire ce qu'ils veulent entendre.

Souligner tes plus grandes qualités.

Ne pas être snob.

Rester toi-même.

Être celui qu'ils souhaitent.

Ils veulent que tu sois comme EUX. Joue le jeu.

Photos du débat présidentiel de Ducard

Nos candidats entrent en scène.

« Je suis un fils de fermier de Smallville. Je veux faire le bien. »

« Le bien? Quel ennui... »

Lex sait ce que veut la foule.

« Lex! Lex! Lex! »

95

Lex fait pleurer Clarky.

Sa directrice de campagne lui dit de voter pour Lex!

Sa propre équipe est d'accord. VOTONS POUR LEX!

Le fermier dit que Lex est un tricheur et qu'il peut le prouver. Ouais, ouais.

BULLETIN

ÉLÈVE : Lex Luthor

CLASSE-FOYER :

ANNÉE :

SEMESTRE :

Matière	Résultat	Commentaires de l'enseignant(e)
ANGLAIS	A+++	Là on parle le même langage $$$ Merci!
MATHS	A+++	Ton piratage informatique démontre de l'initiative. Bravo!
SCIENCES	A++++	Je t'ai donné un plus de plus. Ou est-ce toi qui l'a fait? Un vrai savant fou!
ART	A+++	Merci pour ton généreux don. Tu réussis haut la main.
HISTOIRE	A+++	Tu as appris la plus grande leçon de l'histoire : le pouvoir, c'est l'argent.

L'ÉTUDE ET L'EFFORT DOIVENT ÊTRE RÉCOMPENSÉS.

PAS LA CORRUPTION OU LA TRICHERIE.

LE QUOTIDIEN DE DUCARD

6 NOVEMBRE

VICTOIRE ÉCRASANTE DU NOUVEAU PRÉSIDENT DE CLASSE!!!

« Grrrr... Hé, ne publie pas ça! » a dit le perdant, Clark Kent.

RAPPORT D'ÉVALUATION DE L'ÉLÈVE

ÉLÈVE : __Clark Kent__   ENSEIGNANT : __Hugo Strange__

Quel adjectif te décrit le mieux?
Choisis-en un seul :

- ☐ affamé
- ☐ aimé
- ☒ ambitieux
- ☐ calme
- ☐ concentré

- ☐ créatif
- ☐ désintéressé
- ☐ effrayé
- ☐ embarrassé

- ☐ excité
- ☐ fâché
- ☐ fatigué
- ☐ fier

- ☐ heureux
- ☐ patient
- ☐ perplexe
- ☐ solitaire

- ☐ soulagé
- ☐ surpris
- ☐ triste
- ☐ autre

Évalue ces différents aspects de ta vie :

Amitiés
Horrible   Génial
1   2   **③**   4   5   6   7   8   9   10

Maison/famille
Horrible   Génial
1   2   3   4   5   6   7   8   9   **⑩**

Notes/école
Horrible   Génial
1   2   3   4   5   6   **⑦**   8   9   10

Diagnostic :

Clark est désireux de plaire. Il veut être le meilleur et s'élever
au-dessus des autres, devenir un modèle. Est-ce ce que nous
cherchons? Personne n'est parfait. Tout le monde a des faiblesses.
Jusqu'ici, nul n'a pu trouver les siennes. Perdre l'élection aurait dû
l'ébranler. Mais il semble plus optimiste que jamais.
C'est troublant.

Notes additionnelles :

Son pouvoir peut aussi bien aider notre cause que lui nuire. S'il
ne travaille pas pour nous, nous devons travailler contre lui.

Ceci confirme mes soupçons : Clark est sans doute
d'origine extraterrestre. S'ils ont peur de lui, c'est une
bonne chose, du moment qu'il demeure du côté du bien.
—B

DE LA COMPOTE AUX POMMES! IL Y EN A ASSEZ POUR TOUT LE MONDE.

TU ES ENTRÉ DANS LE JEU DE LEX ET TU AS PERDU. TU N'AS PAS ADAPTÉ TON DISCOURS AU RESTE DE L'ÉCOLE.

JE PEUX JUSTE ÊTRE MOI-MÊME.

J'AI DU MAL À Y CROIRE. EXTRATERRESTRE!

QUOI?!

BAM!

DATE : 15 NOVEMBRE
NOM D'USAGER : BWAYNE
OBJET : ENTRÉE DE JOURNAL 11

JE SAIS MAINTENANT QUE NOUS SOMMES TOUS RÉUNIS
ICI DANS UN BUT PRÉCIS. J'EN SUIS CERTAIN,
MAIS CETTE DÉCOUVERTE A CAUSÉ DES PROBLÈMES.

AUJOURD'HUI, J'AI DISSOUS NOTRE UNITÉ
D'ENQUÊTE CRIMINELLE. ÇA NE FONCTIONNAIT
PAS. NOUS AVONS TOUS DES SECRETS. TRAVAILLER
ENSEMBLE N'EST PLUS UNE PRIORITÉ.

J'ESPÉRAIS AVOIR DES PARTENAIRES, DES
COLLÈGUES ENQUÊTEURS... MÊME DES AMIS. MAIS JE
N'AI PLUS RIEN DE TOUT ÇA.

C'EST PEUT-ÊTRE MIEUX AINSI. JE SUIS DÉSOLÉ DE
N'AVOIR PERSONNE AVEC QUI PARLER ET DISCUTER
DE STRATÉGIE... OU DE JEUX VIDÉO. MAIS JE LE
FERAI SEUL. J'Y SUIS HABITUÉ.

J'AI JUSTE BESOIN D'UN ENDROIT POUR
TRAVAILLER. LA BIBLIOTHÈQUE NE SEMBLE PAS ÊTRE
LE BON ENDROIT.

LIEUX POSSIBLES POUR QUARTIER GÉNÉRAL SECRET :

● TOILETTES (odeur désagréable et trop risqué)

● MARBRE DU TERRAIN DE BASEBALL (Selina et ses amies sont souvent dans le coin)

● POUBELLES DE LA CAFÉTÉRIA (pour : accès à la bouffe; contre : ordures)

● DERRIÈRE LE BÂTIMENT DE MUSIQUE (le bruit nuirait à mon travail)

● SALLE D'ORDINATEUR (accès à l'information, mais peu discret)

● LABO DE SCIENCES (parfait pour les analyses, mais Lex traîne souvent là-bas)

Je continue mes recherches...

DATE : 20 NOVEMBRE
NOM D'USAGER : BWAYNE
OBJET : ENTRÉE DE JOURNAL 12

COMME J'AI DÛ ABANDONNER LA BIBLIOTHÈQUE
APRÈS AVOIR FERMÉ L'UEC, J'AI CHOISI UN
NOUVEL ENDROIT POUR POURSUIVRE MON TRAVAIL
EN SOLITAIRE : LE SOUS-SOL DU CONCIERGE.
SITUÉ SOUS L'ÉCOLE, LOIN DES REGARDS
INDISCRETS, C'EST L'EMPLACEMENT IDÉAL. IL
EST ACTUELLEMENT UTILISÉ POUR ENTREPOSER
LE MATÉRIEL DE L'ÉCOLE, DES OUTILS DE
JARDINAGE ET DES RÉSERVES DE PAPIER
HYGIÉNIQUE. PERSONNE NE VIENT ICI. C'EST UN
LIEU SÉCURITAIRE POUR LE MOMENT.

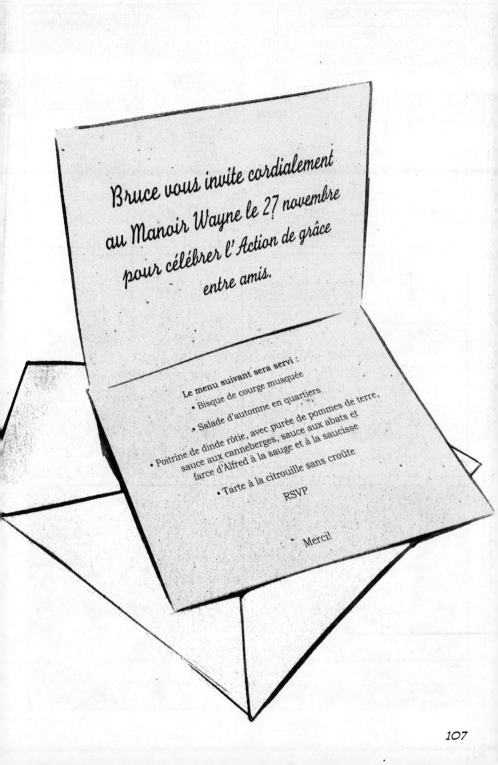

Bruce vous invite cordialement au Manoir Wayne le 27 novembre pour célébrer l'Action de grâce entre amis.

Le menu suivant sera servi :
- Bisque de courge musquée
- Salade d'automne en quartiers
- Poitrine de dinde rôtie, avec purée de pommes de terre, sauce aux canneberges, sauce aux abats et farce d'Alfred à la sauge et à la saucisse
- Tarte à la citrouille sans croûte

RSVP

Merci!

DOMMAGE QUE VOS AMIS N'AIENT PAS PU VENIR.

ILS ÉTAIENT TOUS OCCUPÉS. CE N'EST PAS GRAVE.

L'AMITIÉ, C'EST ACCEPTER NOS DIFFÉRENCES AUTANT QUE NOS SIMILITUDES.

AINSI, ON PEUT DEVENIR MEILLEURS ENSEMBLE PLUTÔT QUE SÉPARÉMENT. C'EST ÇA, UN VRAI AMI.

BON APPÉTIT, ALFRED.

VOUS AUSSI, MAÎTRE BRUCE.

RAPPORT D'INCIDENT DE L'INFIRMIÈRE

ÉLÈVE : Bruce Wayne

ENSEIGNANT : Entraîneur Zod

COURS : Éducation physique

DATE : 1er décembre

DESCRIPTION DE L'INCIDENT :
Il y a eu une bagarre durant le cours. Des élèves ont fait de la lutte. Bruce avait mal à la tête. Clark Kent et Bane étaient également impliqués dans cette bataille.

MESURES PRISES :
Chaque élève a été examiné et soigné. Ensuite, Bruce a été envoyé en retenue. Clark disait avoir mal au ventre, mais n'était pas très convaincant. Il a aussi eu une retenue.

AUTRES MESURES RECOMMANDÉES :
Aucune.

REMARQUES :
Il possède une force remarquable pour son âge. Il est peut-être extraordinaire sous d'autres aspects

SI VOUS AVEZ DES QUESTIONS CONCERNANT CET INCIDENT, VEUILLEZ COMMUNIQUER AVEC L'INFIRMERIE.

ÉDUCATION PHYSIQUE – TEST ÉCLAIR
ENTRAÎNEUSE « KITTY » FAULKNER –
Cours de coups durs

Si quelqu'un vole de l'argent dans ton casier et que tu découvres le coupable, que fais-tu?

C'est mal de voler. La violence devrait être évitée. Il y a toujours des options plus pacifiques. J'irais le voir et lui parlerais. J'essaierais d'arranger les choses. On finirait peut-être par devenir amis.

F-
MÉDIOCRE

115

BUREAU – RAPPORT D'INCIDENT

ÉLÈVE : DIANA PRINCE

DATE : 2 DÉCEMBRE

ENDROIT : GYMNASE DES FILLES

INCIDENT :

L'élève se plaint que d'autres élèves ont triché et l'ont insultée en classe. Elle prétend que l'entraîneuse n'est pas intervenue, sous prétexte que lors d'une compétition, il n'existe pas d'injustice. L'élève n'était pas d'accord et a été envoyée en retenue.

J'ai trouvé ce rapport dans le bureau en enquêtant. Je suis content de constater que Diana ne change pas même si on ne forme plus une équipe.

— B

DATE : 3 DÉCEMBRE
NOM D'USAGER : BWAYNE
OBJET : ENTRÉE DE JOURNAL 13

DONC... JE SUIS COINCÉ EN RETENUE APRÈS
L'ÉCOLE POUR UNE SEMAINE. ALFRED EST DÉÇU.
IL PENSE PROBABLEMENT QUE MES CORVÉES VONT
EN SOUFFRIR.

LA RETENUE EST UNE PERTE DE TEMPS.
BRAINIAC NOUS DONNE DES TÂCHES POUR NOUS
OCCUPER. CLASSER DES PAPIERS. RANGER LA
BIBLIOTHÈQUE. RETOURNER DES LIVRES. FAIRE
DES RECHERCHES SUR DES ÉLÈVES.

JE DOIS SORTIR DE LÀ!

J'AI RÉUSSI À ME FAUFILER AVEC UN APPAREIL
PHOTO ET À PRENDRE QUELQUES CLICHÉS. J'AI
ENCORE APERÇU DES NINJAS SUR LE CAMPUS ET
DANS LA BIBLIOTHÈQUE. ILS SONT PARTOUT! JE
DEVRAIS PEUT-ÊTRE LES ÉPIER.

FANGEBOOK

JOURNAL D'ACTIVITÉS_ DEMANDES D'ENNEMIS_
MESSAGES
‹FANGEBOOK OUVERTURE DE SESSION›
‹SALUTATION›

 HÉ, ÊTES-VOUS LÀ?

 OUI

 QUE VEUX-TU?

 JE SAIS QUE VOUS NE VOULEZ PAS ME PARLER,
MAIS IL LE FAUT.

 BRAINIAC ME FAIT CLASSER DES PAPIERS.
MAIS EN RÉALITÉ, IL ESSAIE DE ME
SOUTIRER DES INFORMATIONS SUR VOUS.

 IL M'A AUSSI POSÉ DES QUESTIONS SUR
TOI.

 ET ALORS?

 IL FAUT SORTIR D'ICI. MAIS POUR ÇA,
IL FAUT TRAVAILLER ENSEMBLE.

⭐ OUAIS, ÇA A SI BIEN MARCHÉ LA DERNIÈRE FOIS... >:(

🦸 C'EST MIEUX QUE DE CLASSER DES LIVRES. QUEL EST TON PLAN?

🦇 IL FAUT LE DISTRAIRE.

⭐ À QUOI ÇA SERT SI ON NE PEUT PAS SORTIR? LES PORTES SONT VERROUILLÉES ÉLECTRONIQUEMENT ET ELLES SONT CONTRÔLÉES PAR BRAINIAC.

🦸 PEUT-ON ÉTEINDRE BRAINIAC? IL DOIT AVOIR UN BOUTON D'ARRÊT.

🦇 PAS SANS ATTIRER SON ATTENTION.

⭐ DONC, ON EST COINCÉS.

🦇 POUR L'INSTANT. MAIS DEMAIN...

🔵 VOUS N'AVEZ PAS LE DROIT D'ÊTRE ICI. ACCÈS INTERDIT.

< SESSION FERMÉE >

DATE : 4 DÉCEMBRE
NOM D'USAGER : BWAYNE
OBJET : ENTRÉE DE JOURNAL 14

CE N'EST PAS DE GAIETÉ DE CŒUR, MAIS JE
FAIS DE NOUVEAU ÉQUIPE AVEC CLARK ET DIANA.
C'EST LA SEULE FAÇON DE TROUVER UN MOYEN
D'ÉCHAPPER À LA RETENUE.

JUSQU'ICI, ON N'A PAS RÉUSSI. CHAQUE ISSUE
SEMBLE ÊTRE BLOQUÉE PAR BRAINIAC. IL
VERROUILLE LES PORTES ÉLECTRONIQUEMENT. LE
SYSTÈME ÉLECTRIQUE CENTRAL DE L'IMMEUBLE
PASSE PAR LUI. ON NE PEUT PAS ACCÉDER
AUX ORDINATEURS DE LA BIBLIOTHÈQUE. IL
SURVEILLE TOUT CE QU'ON FAIT ET NOUS FAIT
TRAVAILLER SANS ARRÊT.

JE PENSE AVOIR UN PLAN POUR NOUS FAIRE
SORTIR, MAIS IL FAUDRA UN PEU DE
CARTOGRAPHIE ET DE SYNCHRONISATION... ET
BEAUCOUP DE CHANCE. JE VAIS PRÉSENTER CE
PLAN AUX AUTRES DEMAIN.

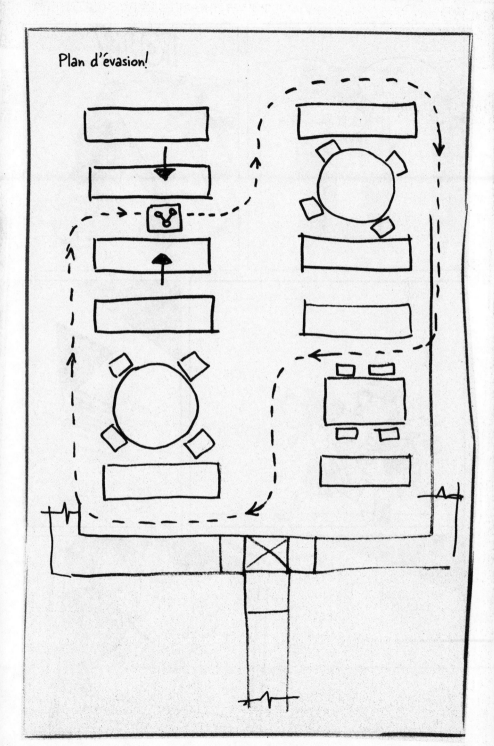

Plan d'évasion!

DATE : 5 DÉCEMBRE
NOM D'USAGER : BWAYNE
RE : ENTRÉE DE JOURNAL 15

COMME LES MAUVAIS COMPORTEMENTS SONT
RÉCOMPENSÉS À DUCARD, ILS NOUS ONT
FÉLICITÉS ET LAISSÉS TRANQUILLES APRÈS
NOTRE ÉVASION RÉUSSIE.

J'AI DÉCIDÉ DE RECRÉER L'UEC. APRÈS M'ÊTRE
RÉCONCILIÉ AVEC EUX, JE SUIS HEUREUX DE
RETROUVER MES AMIS. MÊME SI JE SUIS TOUT À
FAIT CAPABLE DE TRAVAILLER SEUL SOIT DIT EN
PASSANT.

NOTRE NOUVELLE MISSION EST D'ALLER
DIRECTEMENT AU SOMMET. QUI SONT LES
CERVEAUX DERRIÈRE CETTE ÉCOLE ET QUEL
EST LEUR OBJECTIF? QUELQUES PERSONNES
TIRENT LES FICELLES ET RESTENT TAPIES DANS
L'OMBRE. IL EST TEMPS DE LES FAIRE SORTIR
POUR DÉCOUVRIR LEUR IDENTITÉ.

SPECTACLE DES FÊTES DE DUCARD

15 DÉCEMBRE
AUDITORIUM — 20 H

« Écoutez les clochettes... »
Joignez-vous à nous pour vivre la mélancolie du temps
des fêtes. Les élèves ont préparé un spectacle de
chansons, de danse et un décor festif.

Des biscuits et des bonbons seront servis à tous les vilains
petits enfants après le concert.

Venez célébrer avec nous!

SPLAF!

SMAC!

MESSAGE DU PRÉSIDENT

par Lex Luthor

À l'approche du congé des fêtes, je vous souhaite de vous reposer et de bien célébrer la nouvelle année. Que vos désirs les plus fous se réalisent. Il y a beaucoup à conquérir l'an prochain.

À l'attaque!

RIEN NE BAT UNE JOURNÉE DE NEIGE SANS ÉCOLE. VIVE LE VENT D'HIVER!

— Victor Fries

DATE : 5 JANVIER
NOM D'USAGER : BWAYNE
OBJET : ENTRÉE DE JOURNAL 16

LE CONGÉ DES FÊTES S'ACHÈVE ET L'ÉCOLE RECOMMENCE DEMAIN. ALORS QUE D'AUTRES ONT PASSÉ DU TEMPS EN FAMILLE OU EN VOYAGE, J'AI DÉCIDÉ DE RESTER AU MANOIR POUR POURSUIVRE MON ENQUÊTE SUR L'ÉCOLE. J'AI AUSSI ESSAYÉ MON NOUVEAU TRAÎNEAU ET LA MOTONEIGE D'ALFRED (NE LUI DIS RIEN).

J'AI DÉCOUVERT QUE « NANDA PARBAT » EST UN ENDROIT, MAIS JE NE SAIS PAS EXACTEMENT OÙ. J'AI ÉPUISÉ TOUTES LES PISTES INFORMATIQUES. JE DEVRAI PEUT-ÊTRE UTILISER DES MOYENS QUE JE N'AI JAMAIS ENVISAGÉS AUPARAVANT POUR POURSUIVRE MON ENQUÊTE... COMME CHERCHER DE L'AIDE EXTÉRIEURE.

J'ESPÈRE QUE LE RESTE DE L'ANNÉE SCOLAIRE DONNERA DES RÉSULTATS PLUS PROMETTEURS. JE NE M'IMAGINE PAS RESTER BIEN LONGTEMPS DANS CETTE ÉCOLE.

INITIATION AUX SCIENCES –
PROGRAMME DU LABO
DR THADDEUS B. SIVANA

Si vous êtes ici pour étudier le tableau périodique, disséquer des grenouilles et discuter de théories... vous n'êtes pas au bon endroit.

Je vais élargir vos horizons en dévoilant toutes les possibilités qui attendent d'être explorées. Et alors, vous serez les savants fous que vous rêvez secrètement de devenir dans la noirceur de votre âme...

- Créer des trous noirs

- Découvrir d'autres utilisations de l'antimatière

- Défier la gravité

- Explorer le voyage dans le temps extradimensionnel

- Exposer la technologie transdistorsionnelle

- Bloquer le soleil

LA FOIRE DE L'EMPLOI

Indécis face à l'avenir?
Tu hésites entre régner sur le monde ou conquérir
la galaxie?

Cette exposition est pour toi!
Tu découvriras toutes sortes de carrières! Observe les
uniformes spécialisés, assiste à des démonstrations,
participe à des activités, et plus encore!

Nourriture gratuite et chance de remporter des prix!

DATE : 30 janvier
HEURE : 13 h à 15 h
LIEU : Auditorium

DATE : 14 JANVIER
DE : BWAYNE
DESTINATAIRE : SMALLVILLE_CK, DIANA_WW41
OBJET : FOIRE DE L'EMPLOI

UN DÉPLIANT A ATTIRÉ MON ATTENTION.
MAINTENANT QU'ON A REPRIS NOS
ACTIVITÉS, NOTRE NOUVELLE MISSION
DEVRAIT ÊTRE D'ALLER À LA FOIRE DE
L'EMPLOI DE L'ÉCOLE. SOYEZ À L'AFFÛT
DE TOUT DÉTAIL SUSPECT. ET ESSAYEZ DE
REPÉRER LE DIRECTEUR.

—B

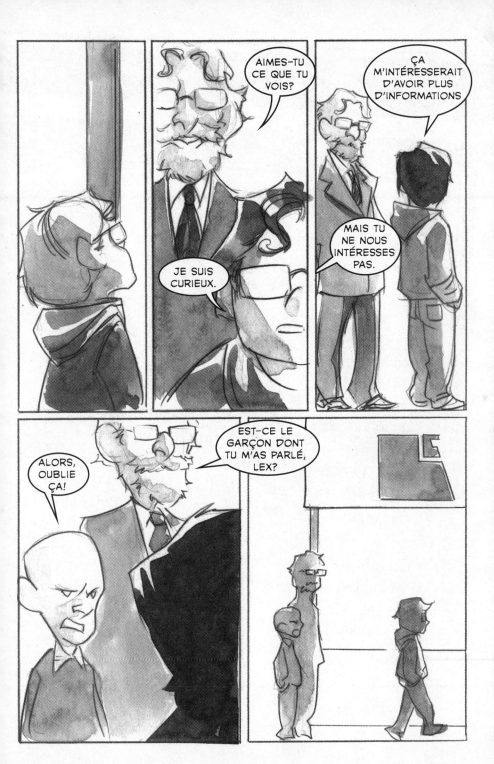

DATE : 1ER FÉVRIER
NOM D'USAGER : BWAYNE
OBJET : ENTRÉE DE JOURNAL 17

CETTE HORRIBLE FOIRE DE L'EMPLOI N'A
PAS DONNÉ LES RÉSULTATS ESCOMPTÉS. IL Y
AVAIT BEAUCOUP D'ENTREPRISES LOUCHES À LA
RECHERCHE D'ÉTUDIANTS À INFLUENCER. LA
PLUPART MENAIENT LEURS ÉTRANGES OPÉRATIONS
SUR DES ÎLES PRIVÉES OU DANS DES CAMPS
MILITAIRES ABANDONNÉS. LA SEULE QUI
SE SOIT INTÉRESSÉE À MOI ÉTAIT L'ASILE
D'ARKHAM. JE VAIS ME RENSEIGNER SUR ELLE.

ÉVIDEMMENT, LE DIRECTEUR ÉTAIT ABSENT.
COMMENT PEUT-IL DIRIGER UNE ÉCOLE SANS
MÊME SE PRÉSENTER AUX ÉVÉNEMENTS ET AUX
CÉRÉMONIES?

HI, HI

MIAOU! BONNE SAINT-VALENTIN, BRUCE.

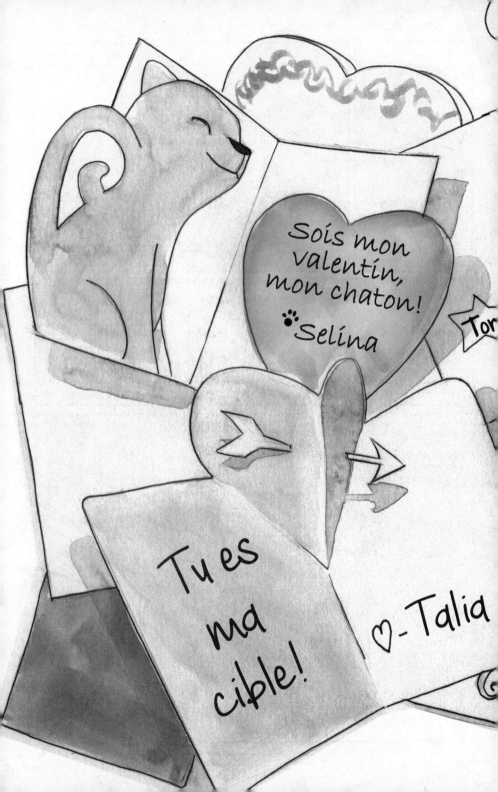

mon lapin!
Zatanna
Tu me fais
gazouiller!
Sans toi,
je me
fane!
Pam
coeur
bat pour toi!

DATE : 18 FÉVRIER
NOM D'USAGER : BWAYNE
OBJET : ENTRÉE DE JOURNAL 18

J'AI DÉCIDÉ DE PRENDRE LES CHOSES EN MAIN,
MAIS J'AI BESOIN D'UN ORDINATEUR. ALFRED
CONTINUE DE M'ENLEVER MES PRIVILÈGES
INTERNET POUR TOUTES SORTES DE MÉFAITS.
CETTE FOIS, C'EST PARCE QUE J'AI UTILISÉ
SON TÉLÉPHONE POUR COMMANDER DE LA PIZZA.
IL PENSE QUE VINGT PIZZAS, C'EST TROP. MAIS
J'AVAIS FAIM!

JE N'AI PAS ACCÈS À MON ORDI ET IL EST
INTERDIT D'UTILISER CEUX DE L'ÉCOLE. ALORS,
J'AI DÉCIDÉ DE FAIRE APPEL À UN CONSULTANT
EXTERNE POUR MA RECHERCHE SUR « NANDA
PARBAT ». UN DÉTECTIVE PRIVÉ QUE JE PAIE
AVEC MON ALLOCATION D'ANNIVERSAIRE ET DE
VACANCES.

J'ATTENDS SA RÉPONSE.

« Si vous cherchez une réponse, nous avons la question. »

25 février

Manoir Wayne, ville de Gotham
À l'attention de Bruce Wayne
OBJET : Nanda Parbat

Cher Bruce,

J'ai été en mesure de trouver la réponse à votre question concernant « Nanda Parbat », mais cela n'a pas été facile. Au lieu des documents habituels et des vérifications de routine, j'ai dû recourir à des sources anonymes et des moyens détournés. Alors, sans plus de cérémonie...

Nanda Parbat est une ville secrète légendaire située dans les montagnes du Tibet. Son emplacement exact et son objectif sont inconnus, mais elle remonte à plusieurs siècles.

Je comprends que c'est peu, mais c'est tout de même quelque chose. J'espère que cette information vous sera utile.

Bien à vous,
VIC
Vic Sage, détective privé

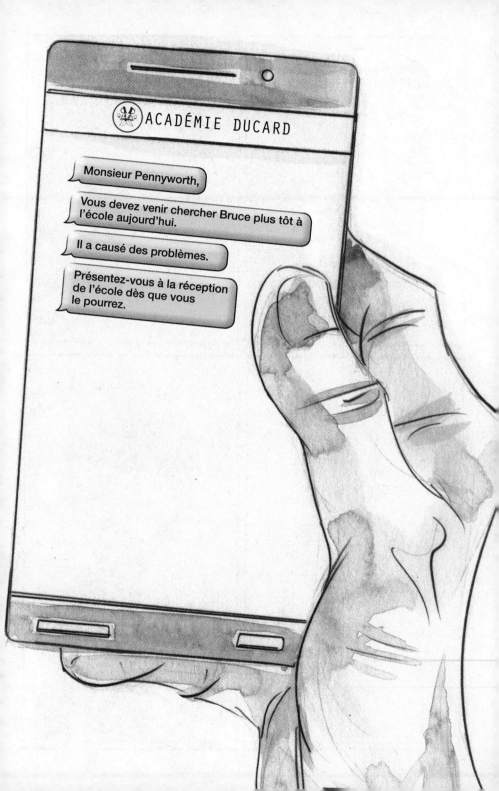

150

MA PAROLE!

VOUS DEVRIEZ VOIR LES AUTRES.

JE NE VOUS AI PAS ENSEIGNÉ À VOUS BATTRE, JEUNE HOMME!

AUTO-DÉFENSE NINJA.

NINJAS... CLOWNS MANIAQUES... SOCIÉTÉS SECRÈTES.

JE N'ENTRERAI PAS DANS VOS ÉLUCUBRATIONS FANTAISISTES, MONSIEUR!

DATE : 2 MARS
NOM D'USAGER : BWAYNE
DESTINATAIRE : SMALLVILLE_CK; DIANA_WW41
OBJET : RENVOI

J'AI ÉTÉ RENVOYÉ DE L'ÉCOLE POUR UNE
SEMAINE. C'EST CE QUI ARRIVE QUAND
ON S'APPROCHE TROP DE LA VÉRITÉ. ET
AUSSI QUAND ON SE FAIT ATTAQUER PAR
DES NINJAS... (OUI, JE SUIS SÉRIEUX :
DES NINJAS!).

CE SERA À VOUS D'ENQUÊTER SUR L'ÉCOLE
EN MON ABSENCE. ENSUITE, VOUS ME
FEREZ PART DE VOS DÉCOUVERTES.

—B

153

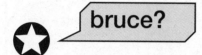 bruce?

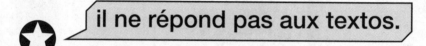 je ne trouve pas clark! :(

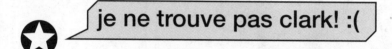 il ne répond pas aux textos.

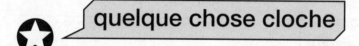 quelque chose cloche

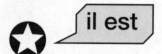 il est

message non envoyé

ENVOYER

DATE : 10 MARS
NOM D'USAGER : BWAYNE
OBJET : ENTRÉE DE JOURNAL 19

J'AI PASSÉ LA SEMAINE CHEZ MOI. C'EST MA
PREMIÈRE JOURNÉE DE RETOUR À L'ÉCOLE ET
QUELQUE CHOSE EST ARRIVÉ À CLARK ET DIANA.
ILS ONT DISPARU. ILS NE RÉPONDENT NI À MES
TEXTOS NI À MES COURRIELS. JE CRAINS LE
PIRE.

JE NE VAIS PAS PANIQUER, NI ABANDONNER. JE
SUIS CERTAIN QUE C'EST CE QUE SOUHAITENT
LES COUPABLES. JE NE LEUR ACCORDERAI PAS
CETTE SATISFACTION.

PLUS QUE JAMAIS, JE DOIS DEVENIR LE
MEILLEUR DES ENQUÊTEURS... LE PLUS GRAND
DÉTECTIVE DU MONDE.

ARRÊTE, CLARK! LES POUBELLES DU MATIN SONT LES PIRES!

ÉTAIT-CE DU SIRÔP À CRÊPES? *DÉGUEU!* ARRÊTE, DIANA!

JE NE PEUX PAS LEUR FAIRE ENTENDRE RAISON. MIEUX VAUT PARTIR AVANT QUE ÇA EMPIRE.

C'EST UNE CHOSE QUE BANE ME BATTE. JE NE VEUX PAS QUE MES AMIS LE FASSENT AUSSI!

DATE : 16 MARS
NOM D'USAGER : BWAYNE
OBJET : ENTRÉE DE JOURNAL 20

CLARK ET DIANA ONT CHANGÉ. C'EST INQUIÉTANT. EN ATTENDANT DE SAVOIR QUI A FAIT ÇA ET COMMENT RENVERSER LA SITUATION, JE VAIS DEVOIR ME CACHER.

ESSAYER DE FUIR MES AMIS EST L'UNE DES CHOSES LES PLUS DIFFICILES QUE J'AIE DÛ ACCOMPLIR. J'AI RÉUSSI À ME FAUFILER DANS LES CONDUITS DE VENTILATION POUR ME DÉPLACER DANS L'ÉCOLE. IL ME SEMBLE AVOIR ENTENDU CLARK DIRE QU'IL PEUT VOIR À TRAVERS LES MURS. TOUTEFOIS, IL NE PEUT PAS ME VOIR À TRAVERS UN SIMPLE CONDUIT TAPISSÉ DE PLOMB.

AVEC LES PATROUILLES NINJA ACCRUES, CE N'EST QU'UNE QUESTION DE TEMPS AVANT QUE JE SOIS DÉCOUVERT. JE DOIS ÊTRE SUR LE QUI-VIVE, PORTER MON COSTUME DE BATMAN ET CHERCHER DES INDICES, À COMMENCER PAR LE CASIER DE MES AMIS. IL Y A PEUT-ÊTRE DES TRUCS QUI POURRONT M'AIDER.

COMMENT NE PAS CAPTURER SES AMIS :

COULOIR – ÉCRAN 02

11:22:14

COULOIR – ÉCRAN 03

11:31:16

COULOIR – ÉCRAN 01

11:35:12

DATE : 17 MARS
NOM D'USAGER : BWAYNE
OBJET : ENTRÉE DE JOURNAL 20

CAPTURER MES AMIS A ÉTÉ ARDU, MAIS J'AI
RÉUSSI À LES RAMENER AU SOUS-SOL POUR
LES INTERROGER. LE LASSO QUE J'AI TROUVÉ
DANS LE CASIER DE DIANA A DES PROPRIÉTÉS
SPÉCIALES, VOIRE MAGIQUES. ÇA M'A VRAIMENT
AIDÉ À DÉCOUVRIR LA VÉRITÉ.

ILS DISENT QUE LE DR SIVANA A CRÉÉ UN CASQUE
GRÂCE À LA TECHNOLOGIE DE M. TETCH. CE
CASQUE REND L'USAGER SENSIBLE AUX ORDRES.
UN APPAREIL POUR LAVER LES CERVEAUX! TALIA
ÉTAIT UNE DES COMPLICES, MAIS ILS NE SAVENT
PAS SI LE DIRECTEUR DIRIGEAIT L'OPÉRATION.

CETTE CORDE ME SERA SÛREMENT UTILE PLUS
TARD. ALFRED NE POURRA PLUS JAMAIS CACHER
DE NOURRITURE DANS LA MAISON.

QUI EST
RESPONSABLE
DE CETTE
ÉCOLE, TALIA?
QUI DIRIGE
TOUT?

JE PEUX
RÉPONDRE.
C'EST MOI.

JE SUIS VOTRE
DIRECTEUR. SON
PÈRE. MON NOM
EST *RÄ'S AL
GHŪL!*

DOMMAGE. ON NE SERA PAS LÀ POUR LES ACCUEILLIR.

BIEN JOUÉ, DÉTECTIVE EN HERBE!

C'EST « MEILLEUR DÉTECTIVE DU MONDE », PAS « *EN HERBE* »!

UN JOUR, J'AURAI UN JET, MOI AUSSI.

J'AI UN JET!

JE LE CROIRAI QUAND JE LE VERRAI, MERCI!

Salut, Bruce,

Quelle année incroyable! Je suis heureuse chez moi, mais vous me manquez, Clark et toi. J'espère vous revoir bientôt. En attendant, utilise tes talents de détective pour trouver mon jet invisible sur cette carte postale. Je l'ai posé près de la plage.

—Diana

P.-S. : Il est là. Regarde bien! ☺

Bruce Wayne
Manoir Wayne
Gotham

DATE : 30 MARS
NOM D'USAGER : BWAYNE
OBJET : ENTRÉE DE JOURNAL 22

IL Y A DEUX SEMAINES QUE L'ACADÉMIE DUCARD A FERMÉ SES PORTES EN RAISON DE NOTRE ENQUÊTE. L'ÉCOLE A ROUVERT AVEC DE VÉRITABLES ENSEIGNANTS. RÃ'S AL GHUL ET SA FILLE SE SONT ENFUIS, ET JE N'AI AUCUN MOYEN DE VOYAGER POUR TROUVER NANDA PARBAT. JE VAIS DONC ATTENDRE EN FAISANT PREUVE DE VIGILANCE. S'ILS REVIENNENT, JE SERAI PRÊT. LES ENSEIGNANTS IMPLIQUÉS DANS CE SCANDALE ONT DÛ FAIRE DU TRAVAIL COMMUNAUTAIRE. QUANT AUX ÉLÈVES, ILS DEVRONT SUIVRE DES COURS D'ÉTÉ. LES BONS ONT GAGNÉ, POUR UNE FOIS.

AFFAIRE CLASSÉE.

J'AI ÉTÉ TRANSFÉRÉ DANS UNE PETITE ÉCOLE PUBLIQUE, OÙ RIEN D'ÉTRANGE NE SE PRODUIT. UNE ÉCOLE SANS NINJAS NI CLOWNS. MÊME LA NOURRITURE DE CAFÉTÉRIA EST SANS INTÉRÊT, MAIS JE NE ME PLAINS PAS.

JE SUIS TOUJOURS EN CONTACT AVEC MES AMIS. CLARK EST RETOURNÉ À SMALLVILLE. IL SERA ÉDUQUÉ À LA MAISON ET RETOURNERA À L'ÉCOLE L'ANNÉE PROCHAINE. DIANA VIT AVEC SA MÈRE ET SES SŒURS SUR SON ÎLE PARADISIAQUE. ÇA DOIT ÊTRE AGRÉABLE!

ALFRED PENSE QUE JE DEVRAIS ALLER AU CAMP D'ÉTÉ. IL DIT QU'IL FAIT NOIR DANS LA FORÊT, QUE C'EST SINISTRE. AVEC BEAUCOUP DE CHAUVES-SOURIS. IL Y AURA SÛREMENT UN OU DEUX MYSTÈRES À RÉSOUDRE.

SI J'AI APPRIS UNE CHOSE, C'EST QU'ALFRED SAIT TOUJOURS CE QUI EST LE MIEUX POUR MOI.

Dossier
Affaire de Rā's

[RÉSOLU]

Derek Fridolfs

travaille dans l'industrie de la bande dessinée en tant qu'auteur, encreur et illustrateur. Avec Dustin Nguyen, il a écrit *Batman : Li'l Gotham* et *Justice League Beyond*. Il a également contribué à *Batman : Arkham City Endgame*, *Arkham Unhinged*, *Detective Comics*, *Legends of the Dark Knight*, *Adventures of Superman*, *Sensation Comics Featuring Wonder Woman*, *Catwoman*, *Zatanna*, *JLA* et des BD inspirées d'*Adventure Time*, *Regular Show*, *Dexter's Laboratory*, *Looney Tunes* et *Teenage Mutant Ninja Turtles*.

Derek aime voyager, regarder des films tard le soir, acheter des livres et manger de la pizza.

Ce livre est son premier destiné aux jeunes, et il a hâte d'en écrire d'autres.

Dustin Nguyen

est connu pour ses interprétations de Batman pour DC Comics, dont la série *Batman : Li'l Gotham*, écrite en collaboration avec Derek. En ce moment, il dessine plein de robots et d'extraterrestres pour *Descender*, une BD mensuelle d'Image Comics qu'il signe avec Jeff Lemire. Dustin travaille aussi comme artiste conceptuel pour des jouets, des produits de consommation, des jeux et de l'animation. Il aime dormir, conduire et dessiner des choses qui l'intéressent.